Maisy Luch le Aodach Brèige

Lucy Cousins

A' Ghàidhlig le Acair

Tha Maisy air
fios fhaighinn
gu pàrtaidh
aodach brèige
Tallulah.

Dè an t-aodach brèige a chuireas i oirre?

Tha i a' toirt sùil dhan bhogsa anns am bi i a' cumail a h-aodach brèige.

Dh'fhaodadh i
bhith na
spùinneadair -
ach tha Teàrlach
a' dol ann mar
spùinneadair.

Dh'fhaodadh i
bhith na bànrigh -
ach tha Eddie
a' dol ann mar rìgh!

Dh'fhaodadh i bhith
na smàladair –
ach tha Cyril a' dol
ann mar smàladair!

Tha deagh smaoin aig Maisy! Nì i aodach a dh'aon ghnothach.

Tha càch aig
taigh Tallulah
mu thràth.

An uair sin cluinnidh iad an clag agus dè a nochdas ach ... sìobra!

O, 's e th' ann ach Maisy!

Tha am pàrtaidh
a-nis
a' tòiseachadh.